Lagartos

Julie Murray

Abdo
¡ME GUSTAN LOS ANIMALES!
Kids

abdopublishing.com

Published by Abdo Kids, a division of ABDO, PO Box 398166, Minneapolis, Minnesota 55439.
Copyright © 2017 by Abdo Consulting Group, Inc. International copyrights reserved in all countries.
No part of this book may be reproduced in any form without written permission from the publisher.

Printed in the United States of America, North Mankato, Minnesota.

102016

012017

 THIS BOOK CONTAINS
RECYCLED MATERIALS

Spanish Translator: Maria Puchol

Photo Credits: iStock, Shutterstock

Production Contributors: Teddy Borth, Jennie Forsberg, Grace Hansen

Design Contributors: Candice Keimig, Dorothy Toth

Publisher's Cataloging-in-Publication Data

Names: Murray, Julie, author.

Title: Lagartos / by Julie Murray.

Other titles: Lizards. Spanish

Description: Minneapolis, MN : Abdo Kids, 2017. | Series: ¡Me gustan los
        animales! | Includes bibliographical references and index.

Identifiers: LCCN 2016947542 | ISBN 9781624026331 (lib. bdg.) |
        ISBN 9781624028571 (ebook)

Subjects: LCSH: Lizards--Juvenile literature. | Spanish language materials--
        Juvenile literature.

Classification: DDC 597.95--dc23

LC record available at http://lccn.loc.gov/2016947542

Contenido

Lagartos

Tim sostiene un lagarto con las manos. La piel del lagarto tiene **escamas**.

La cola de los lagartos es larga. Si les cortan la cola, ¡les crece otra!

Casi todos los lagartos tienen cuatro patas. ¡Algunos no tienen patas!

El geco tiene **almohadillas adhesivas** en los pies. Le sirven para trepar.

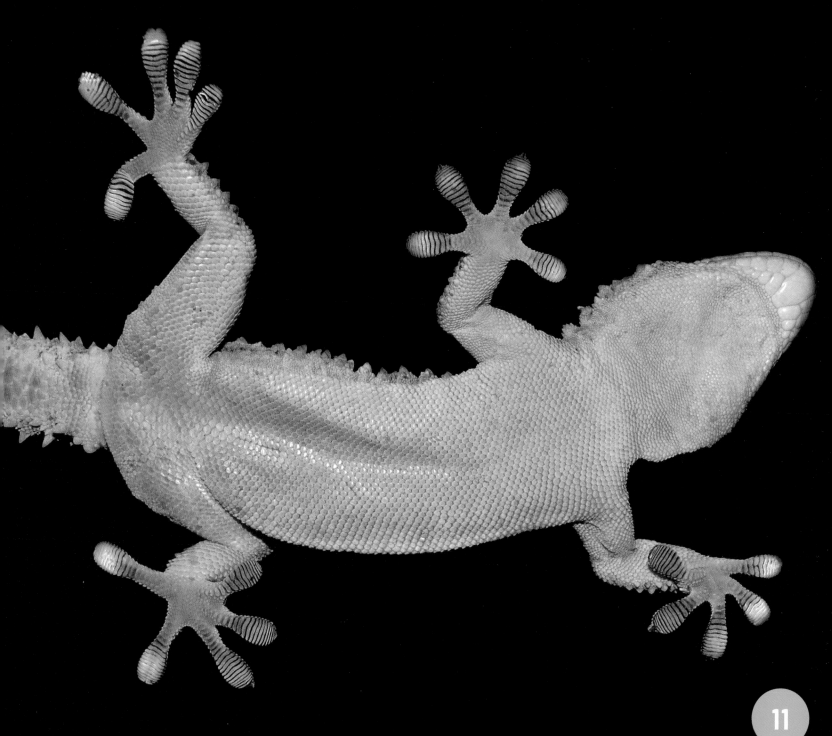

Los lagartos viven en los árboles. También pueden vivir en la tierra.

Los lagartos comen insectos.

Esta iguana está comiendo

una hoja.

Los lagartos pueden ser de muchos colores. Algunos tienen manchas o rayas.

La lagartija de cola azul se puede identificar fácilmente.

¿Te gustan los lagartos?

Algunos tipos de lagartos

anolis verde

geco crestado

camaleón pantera

lagarto moteado mexicano

Glosario

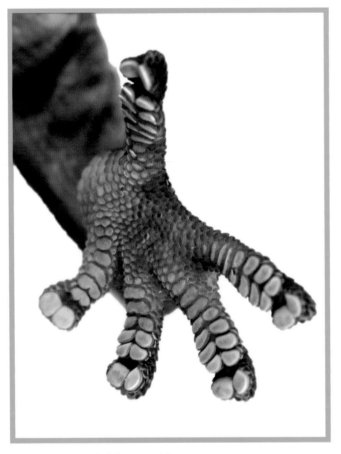

almohadilla adhesiva
acolchado especial en los pies de algunos lagartos que les sirve para trepar, ¡hasta para andar boca abajo!

escamas
placas planas que cubren el cuerpo de los reptiles.

Índice

abdokids.com

¡Usa este código para entrar en abdokids.com y tener acceso a juegos, arte, videos y mucho más!

Código Abdo Kids:
ILK5321